Y0-BQY-327

Библиотека
начальной школы

Самые смешные истории

В. ДРАГУНСКИЙ
Л. ПАНТЕЛЕЕВ
В. ОСЕЕВА
М. КОРШУНОВ
В. ГОЛЯВКИН
Л. КАМИНСКИЙ
И. ПИВОВАРОВА
С. МАХОТИН
М. ДРУЖИНИНА

Художник
С. Сачков

Москва
Издательство АСТ

Виктор Драгунский

ТАЙНОЕ СТАНОВИТСЯ ЯВНЫМ

Я услышал, как мама в коридоре сказала кому-то:

— Тайное всегда становится явным.

И когда она вошла в комнату, я спросил:

— Что это значит, мама: «Тайное становится явным»?

— А это значит, что, если кто поступает нечестно, всё равно про него это узнают, и будет ему очень стыдно, и он понесёт наказание, — сказала мама. — Понял?.. Ложись-ка спать!

Я почистил зубы, лёг спать, но не спал, а всё время думал: как же так получается, что тайное становится явным? И я долго не спал, а когда проснулся, было утро, папа был уже на работе, и мы с мамой были одни. Я опять почистил зубы и стал завтракать.

Сначала я съел яйцо. Это было ещё терпимо, потому что я выел один желток, а белок раскромсал со скорлупой так, чтобы его не было видно. Но потом мама принесла целую тарелку манной каши.

— Ешь! — сказала мама. — Безо всяких разговоров!

Я сказал:

— Видеть не могу манную кашу!

Но мама закричала:

— Посмотри, на кого ты стал похож! Вылитый Кощей! Ешь. Ты должен поправиться.

Я сказал:

— Я ею давлюсь!..

Тогда мама села со мной рядом, обняла меня за плечи и ласково спросила:

— Хочешь, пойдём с тобой в Кремль?

Ну ещё бы... Я не знаю ничего красивее Кремля. Я там был в Грановитой палате и в Оружейной, стоял возле Царь-пушки и знаю, где сидел Иван Грозный. И ещё там очень много интересного. Поэтому я быстро ответил маме:

— Конечно, хочу в Кремль! Даже очень!

Тогда мама улыбнулась:

— Ну вот, съешь всю кашу, и пойдём. А я пока посуду вымою. Только помни — ты должен съесть всё до дна!

И мама ушла на кухню.

А я остался с кашей наедине. Я пошлёпал её ложкой. Потом посолил. Попробовал — ну невозможно есть! Тогда я подумал, что, может быть, сахару не хватает? Посыпал песку, попробовал... Ещё хуже стало. Я не люблю кашу, я же говорю.

А она к тому же была очень густая. Если бы она была жидкая, тогда другое дело, я бы зажмурился и выпил её. Тут я взял и долил в кашу кипятку. Всё равно было скользко, липко и противно. Главное, когда я глотаю, у меня горло само сжимается и выталкивает эту кашу обратно. Ужасно обидно! Ведь в Кремль-то хочется!

И тут я вспомнил, что у нас есть хрен. С хреном, кажется, почти всё можно съесть! Я взял и вылил в кашу всю баночку, а когда немножко попробовал, у меня сразу глаза на лоб полезли и остановилось дыхание, и я, наверное, потерял сознание, потому что

взял тарелку, быстро подбежал к окну и выплеснул кашу на улицу. Потом сразу вернулся и сел за стол.

В это время вошла мама. Она посмотрела на тарелку и обрадовалась:

— Ну что за Дениска, что за парень-молодец! Съел всю кашу до дна! Ну, вставай, одевайся, рабочий народ, идём на прогулку в Кремль! — И она меня поцеловала.

В эту минуту дверь открылась, и в комнату вошёл милиционер. Он сказал:

— Здравствуйте! — и подошёл к окну, и поглядел вниз. — А ещё интеллигентный человек.

— Что вам нужно? — спросила мама.

— Как не стыдно! — Милиционер даже встал по стойке «смирно». — Государство предоставляет вам новое жильё, со всеми удобствами и, между прочим, с мусоропроводом, а вы выливаете разную гадость в окно!

— Не клевещите. Ничего я не выливаю!

— Ах, не выливаете?! — язвительно рассмеялся милиционер. И, открыв дверь в коридор, крикнул: «Пострадавший!»

И к нам вошёл какой-то дяденька.

Я как на него взглянул, так сразу понял, что в Кремль я не пойду.

На голове у этого дяденьки была шляпа. А на шляпе наша каша. Она лежала почти в середине шляпы, в ямочке, и немножко по краям, где лента, и немножко за воротником, и на плечах, и на левой брючине. Он, как вошёл, сразу стал заикаться.

— Главное, я иду фотографироваться... И вдруг такая история... Каша... мм... манная... Горячая, между прочим, сквозь шляпу и то... жжёт... Как же я пошлю своё... фф... фото, когда я весь в каше?!

Тут мама посмотрела на меня, и глаза у неё стали зелёные, как крыжовник, а уж это верная примета, что мама ужасно рассердилась.

— Извините, пожалуйста, — сказала она тихо, — разрешите я вас почищу, пройдите сюда!

И они все трое вышли в коридор.

А когда мама вернулась, мне даже страшно было на неё взглянуть. Но я себя пересилил, подошёл к ней и сказал:

— Да, мама, ты вчера сказала правильно. Тайное всегда становится явным!

Мама посмотрела мне в глаза. Она смотрела долго-долго и потом спросила:

— Ты это запомнил на всю жизнь?

И я ответил:

— Да.

СЛАВА ИВАНА КОЗЛОВСКОГО

У меня в табеле одни пятёрки. Только по чистописанию четвёрка. Из-за клякс. Я прямо не знаю, что делать! У меня всегда с пера соскакивают кляксы. Я уж макаю в чернила только самый кончик пера, а кляксы всё равно соскакивают. Просто чудеса какие-то!

Один раз я целую страницу написал чисто-чисто, любо-дорого смотреть — настоящая пятёрочная страница. Утром показал её Раисе Ивановне, а там на самой середине клякса! Откуда она взялась? Вчера её не было! Может быть, она с какой-нибудь другой страницы просочилась? Не знаю...

А так у меня одни пятёрки. Только по пению тройка. Это вот как получилось.

Был у нас урок пения.

Сначала мы пели все хором «Во поле берёзонька стояла».

Выходило очень красиво, но Борис Сергеевич всё время морщился и кричал:

— Тяните гласные, друзья, тяните гласные!..

Тогда мы стали тянуть гласные, но Борис Сергеевич хлопнул в ладоши и сказал:

— Настоящий кошачий концерт! Давайте-ка займёмся с каждым инди-виду-ально.

Это значит с каждым отдельно.

И Борис Сергеевич вызвал Мишу.

Миша подошёл к роялю и что-то такое прошептал Борису Сергеевичу. Тогда Борис Сергеевич начал играть, а Миша тихонечко запел:

Как на тоненький ледок
Выпал беленький снежок...

Ну и смешно же пищал Мишка! Так пищит наш котёнок Мурзик, когда я его засовываю в чайник.

Разве ж так поют?

Почти ничего не слышно. Я просто не мог выдержать и рассмеялся.

Тогда Борис Сергеевич поставил Мише пятёрку и поглядел на меня.

Он сказал:

— Ну-ка, хохотун, выходи!

Я быстро выбежал к роялю.

— Ну-с, что вы будете исполнять? — вежливо спросил Борис Сергеевич.

Я сказал:

— Песня гражданской войны «Веди ж, Будённый, нас смелее в бой».

Борис Сергеевич тряхнул головой и заиграл, но я его сразу остановил.

— Играйте, пожалуйста, погромче! — сказал я.

Борис Сергеевич сказал:

— Тебя не будет слышно.

Но я сказал:

— Будет. Ещё как!

Борис Сергеевич заиграл, а я набрал побольше воздуха да как гряну во всю мочь свою любимую:

> Высоко в небе ясном
> Вьётся алый стяг...

Мне очень нравится эта песня. Так и вижу синее-синее небо, жарко, кони стучат копытами, у них красивые лиловые глаза, а в небе вьётся алый стяг.

Тут я даже зажмурился от восторга и закричал что было сил:

Мы мчимся на конях туда,
Где виден враг!
И в битве упоительной...

Я хорошо орал, наверно, было слышно на другой улице:

Лавиною стремительной!
Мы мчимся вперёд!.. Ура!..
Красные всегда побеждают!
Отступайте, враги! Даёшь!!!

Я нажал себе кулаками на живот, вышло ещё громче, и я чуть не лопнул:

Мы врезалися в Крым!

Тут я остановился, потому что я был весь потный и у меня дрожали колени.

А Борис Сергеевич хоть и играл, но весь как-то склонился к роялю, и у него тоже тряслись плечи...

Я сказал:

— Ну как?

— Чудовищно! — похвалил Борис Сергеевич.

— Хорошая песня, правда? — спросил я.

— Хорошая, — сказал Борис Сергеевич и закрыл платком глаза.

КЛАССНЫЙ ЖУРНАЛ

— Только жаль, вы очень тихо играли, Борис Сергеевич, — сказал я, — можно бы ещё погромче.

— Ладно, я учту, — сказал Борис Сергеевич. — А ты не заметил, что я играл одно, а ты пел по-другому?

— Нет, — сказал я, — я этого не заметил! Да это и неважно. Просто надо было погромче играть.

— Что ж, — сказал Борис Сергеевич, — раз ты ничего не заметил, поставим тебе пока тройку За прилежание.

Как тройку?! Я даже опешил. Как же это может быть? Тройка — это очень мало! Мишка так тихо пел и то получил пятёрку...

Я сказал:

— Борис Сергеевич, когда я немножко отдохну я ещё громче смогу, вы не думайте. Это я сегодня плохо завтракал. А то я так могу спеть, что тут у всех уши позаложит. Я знаю ещё одну песню. Когда я её дома пою, все соседи прибегают, спрашивают, что случилось.

— Это какая же? — спросил Борис Сергеевич.

— Жалостливая, — сказал я и завёл:

Я вас любил:
Любовь ещё, быть может...

Но Борис Сергеевич поспешно сказал:

— Ну хорошо, хорошо, все это мы обсудим в следующий раз.

И тут раздался звонок.

Мама встретила меня в раздевалке. Когда мы собирались уходить, к нам подошёл Борис Сергеевич.

— Ну, — сказал он, улыбаясь, — возможно, ваш мальчик будет Лобачевским, может быть, Менделеевым. Он может стать Суриковым или Кольцовым, я не удивлюсь, если он станет известен стране, как известен товарищ Николай Мамай или какой-либо боксёр, но в одном могу заверить вас абсолютно твёрдо: славы Ивана Козловского он не добьётся. Никогда!

Мама ужасно покраснела и сказала:

— Ну, это мы ещё увидим!

А когда мы шли домой, я всё думал:

«Неужели Козловский поёт громче меня?»

ЖИВОЙ УГОЛОК

Перед концом урока наша учительница, Раиса Ивановна, сказала:

— Ну, поздравляю вас, ребята! Школьный совет постановил устроить в нашей школе живой уголок. Такой маленький зоосад. Вы будете сами ухаживать и наблюдать за животными...

Я так и подпрыгнул! Это ведь очень интересно! Я сказал:

— А где будет помещаться живой уголок?

— На третьем этаже, — ответила Раиса Ивановна, — возле учительской.

— А как же, — говорю я, — зубробизон взойдёт на третий этаж?

— Какой зубробизон? — спросила Раиса Ивановна.

КЛАССНЫЙ
ЖУРНАЛ
2 Б

— Лохматый, — ответил я, — с рогами и хвостом.

— Нет, — сказала Раиса Ивановна, — зубробизона у нас не будет, а будут мелкие ёжики, птички, рыбки и мышки. И пусть каждый из вас принесёт такое мелкое животное в наш живой уголок. До свиданья!

И я пошёл домой, а потом во двор, и всё думал, как бы завести у нас в живом уголке лося, яка или хотя бы бегемота, они такие красивые...

Но тут прибежал Мишка Слонов и как закричит:

— На Арбате в зоомагазине дают белых мышей!!

Я ужасно обрадовался и побежал к маме.

— Мама, — кричу я ей, — мама, кричи ура! На Арбате дают белых мышей.

Мама говорит:

— Кто даёт, кому, зачем и почему я должна кричать ура?

Я говорю:

— В зоомагазине дают, для живых уголков, дай мне денег, пожалуйста!

Мама взялась за сумочку и говорит:

— А зачем вам для живого уголка именно белые мыши? А почему вам не годятся простые серенькие мышата?

— Ну что ты, мама, — сказал я, — какое может быть сравнение? Серые мышки — это как простые, а белые — вроде диетические, понимаешь?

Тут мама шлёпнула меня небольно, дала денег, и я припустился в магазин.

Там уже народу видимо-невидимо. Конечно, это понятно, потому что известно, кто же не любит белых мышей?! Поэтому в магазине была давка, и Мишка Слонов стал у прилавка следить, чтобы больше двух мышей в одни руки не отпускали. Но всё-таки мне не повезло! Перед самым моим носом мыши кончились. Ведь это одно расстройство! Я не могу себе позволить покупать мышей на рынке, там за них с меня три шкуры сдерут. Я говорю продавщице:

— Когда будут ещё мыши?

А она:

— Когда с базы пришлют. В четвёртом квартале, думаю, подкинут.

Я говорю:

— Плохо вы снабжаете население мышками первой необходимости.

И ушёл. И стал худеть от расстройства. А мама, как увидела мое выражение лица, всплеснула руками и говорит:

— Не расстраивайся, Денис, из-за мышей. Нету и не надо! Пойдём купим тебе рыбку! Для первоклассника самое хорошее дело — рыбка! Ты какую хочешь, а?

Я говорю:

— Нильского крокодила!

— А если поменьше? — говорит мама.

— Тогда моллинезию! — говорю я.

Моллинезия — это маленькая такая рыбка, величиной с полспички.

И мы вернулись в магазин. Мама говорит:

— Почём у вас эти моллинезии? Я хочу купить десяточек таких малюток, для живого уголка!

А продавщица говорит:

— Полтора рубля штучка!

Мама взялась за голову.

— Это, — сказала мама, — я и представить себе не могла! Пойдём, сынок, домой.

— А моллинезии, мама?

— Не нужно их нам, — говорит мама. — Они кусаются. Пойдём-ка, и вместо одной такой малявки купим огромного судака или зеркального карпа, приготовим его в сметане, позовём Мишу и будем пировать. А моллинезии, ну их, они кусаются...

Но всё-таки, скажите, что мне принести в живой уголок? Мыши кончились, а рыбки кусаются... Одно расстройство!

Л. Пантелеев

БУКВА «ТЫ»

Учил я когда-то одну маленькую девочку читать и писать. Девочку звали Иринушка, было ей четыре года пять месяцев, и была она большая умница. За каких-нибудь десять дней мы одолели с ней всю русскую азбуку, могли уже свободно читать и «папа», и «мама», и «Саша», и «Маша», и оставалась одна только самая последняя буква — «я».

И тут вот, на этой последней буковке мы вдруг с Иринушкой и споткнулись.

Я, как всегда, показал букву, дал ей как следует её рассмотреть и сказал:

— А это вот, Иринушка, буква «я».

Иринушка с удивлением на меня посмотрела и говорит:

— Ты?

— Почему «ты»? Что за «ты»? Я же сказал тебе: это буква «я».

— Буква «ты»?

— Да не «ты», а «я».

Она ещё больше удивилась и говорит:

— Я и говорю: ты.

— Да не я, а буква «я».

— Не ты, а буква «ты»?

— Ох, Иринушка, Иринушка. Наверно, мы, голубушка, с тобой немного переучились Неужели ты в самом деле не понимаешь, что это не я, а это буква так называется — «я»?

— Нет, — говорит, — почему не понимаю? Я понимаю.

— Что ты понимаешь?

— Это не ты, а буква так называется — «ты».

Фу! Ну в самом деле, ну что ты с ней поделаешь? Как же, скажите на милость, ей объяснить, что я — это не я, ты — не ты, она — не она и что вообще «я» — это только буква?

— Ну, вот что, — сказал я наконец, — ну, давай скажи как будто про себя: я. Понимаешь? Про себя. Как ты про себя говоришь?

Она поняла как будто. Кивнула. Потом спрашивает:

— Говорить?

— Ну-ну... конечно.

Вижу — молчит. Опустила голову. Губами шевелит. Я говорю:

— Ну, что же ты?

— Я сказала.

— А я не слышал, что ты сказала.

— Ты же мне велел про себя говорить. Вот я потихоньку и говорю.

— Что же ты говоришь?

Она оглянулась и шёпотом — на ухо мне:

— Ты!..

Я не выдержал, вскочил, схватился за голову и забегал по комнате. Внутри у меня всё кипело, как вода в чайнике. А бедная Иринушка сидела, склонившись над букварём, искоса посматривала на меня и жалобно сопела. Ей, наверно, было стыдно, что она такая бестолковая.

Но и мне тоже было стыдно, что я — большой человек — не могу научить маленького человека правильно читать такую простую букву, как «я». Наконец я придумал всё-таки. Я быстро подошёл к девочке, ткнул её пальцем в нос и спрашиваю:

— Это кто?

Она говорит:

— Это я.

— Ну вот... Понимаешь? А это буква «я».

Она говорит:

— Понимаю...

А у самой уж, вижу, и губы дрожат, и носик сморщился — вот-вот заплачет.

— Что же ты, — я спрашиваю, — понимаешь?

— Понимаю, — говорит, — что это я.

— Правильно. Молодец. А это вот буква «я». Ясно?

— Ясно, — говорит. — Это буква «ты».

— Да не «ты», а «я»!

— Не я, а ты.

— Не я, а буква «я»!

— Не я, а буква «ты».

— Не буква «ты», господи боже мой, а буква «я»!

— Не буква «я», господи боже мой, а буква «ты».

Я опять вскочил и опять забегал по комнате.

— Нет такой буквы «ты»! — закричал я. — Пойми ты, бестолковая девчонка! Нет и не

может быть такой буквы! Есть буква «я» Понимаешь? Я! Буква «я»! Изволь повторять за мной: я! я! я!..

— Ты, ты, ты, — пролепетала она, едва разжимая губы.

Потом уронила голову на стол и заплакала. Да так громко и так жалобно, что весь мой гнев сразу остыл. Мне стало жалко её.

— Хорошо, — сказал я. — Как видно, мы с тобой и в самом деле немного заработались. Возьми свои книги и тетрадки — и можешь идти гулять. На сегодня — хватит.

Она кое-как запихала в сумочку своё барахлишко и, ни слова мне не сказав, спотыкаясь и всхлипывая, вышла из комнаты А я, оставшись один, задумался, что же делать? Как же мы в конце концов перешагнём через эту проклятую букву «я»? «Ладно, — решил я. — Забудем о ней. Ну её. Начнём следующий урок прямо с чтения. Может быть, так лучше будет».

И на следующий день, когда Иринушка, весёлая и раскрасневшаяся после игры, пришла на урок, я не стал ей напоминать о вчерашнем, а просто посадил её за букварь, открыл первую попавшуюся страницу и сказал:

— А ну, сударыня, давайте-ка почитайте мне что-нибудь.

Она, как всегда перед чтением, поёрзала на стуле, вздохнула, уткнулась и пальцем и носиком в страницу, пошевелив губами, бегло, не переводя дыхания, прочла:

— Тыкову дали тыблоко.

От удивления я даже на стуле подскочил:

— Что такое?! Какому тыкову? Какое тыблоко? Что ещё за тыблоко?

Посмотрел в букварь, а там чёрным по белому написано: «Якову дали яблоко».

Вам смешно? Я тоже, конечно, посмеялся. А потом говорю:

— Яблоко, Иринушка! Яблоко, а не тыблоко!

Она удивилась и говорит:

— Яблоко? Так, значит, это буква «я»?

Я уже хотел сказать: «Ну конечно, „я“» А потом спохватился и думаю: «Нет, голубушка. Знаем мы вас. Если скажу „я“ — значит, опять пошло-поехало! Нет уж, сейчас мы на эту удочку не попадёмся».

— Да, правильно. Это буква «ты».

Конечно, не очень-то хорошо говорить неправду. Даже очень нехорошо говорить неправду. Но что же поделаешь? Если бы я сказал «я», а не «ты», кто знает, чем бы всё это кончилось. И может быть, бедная Иринушка так всю свою жизнь и говорила бы: вместо «яблоко» — «тыблоко», вместо «ярмарка» — «тырмарка», вместо «якорь» — «тыкорь» и вместо «язык» — «тызык». А Иринушка, слава богу, выросла уже большая, выговаривает все буквы правильно, как полагается, и пишет мне письма без единой ошибки.

Валентина Осеева

ВРЕМЯ

Два мальчика стояли на улице под часами и разговаривали.

— Я не решил примера, потому что он был со скобками, — оправдывался Юра.

— А я потому, что там были очень большие числа, — сказал Олег.

— Мы можем решить его вместе, у нас ещё есть время!

Часы на улице показывали половину второго.

— У нас целых полчаса, — сказал Юра. — За это время лётчик может перевезти пассажиров из одного города в другой.

— А мой дядя, капитан, во время кораблекрушения в двадцать минут успел погрузить в лодки весь экипаж.

— Что — за двадцать!.. — деловито сказал Юра. — Иногда пять — десять минут много значат. Надо только учитывать каждую минуту.

— А вот случай! Во время одного состязания...

Много интересных случаев вспомнили мальчики.

— А я знаю... — Олег вдруг остановился и взглянул на часы. — Ровно два!

Юра ахнул.

— Бежим! — сказал Юра. — Мы опоздали в школу!

— А как же пример? — испуганно спросил Олег.

Юра на бегу только махнул рукой.

НАВЕСТИЛА

Валя не пришла в класс. Подруги послали к ней Мусю.

— Пойди и узнай, что с Валей. Может, она больна, может, ей что-нибудь нужно?

Муся застала подружку в постели. Валя лежала с завязанной щекой.

— Ох, Валечка! — сказала Муся, присаживаясь на стул. — У тебя, наверно, флюс! Ах, какой флюс был у меня летом! Целый нарыв! И ты знаешь, бабушка как раз уехала, а мама была на работе...

— Моя мама тоже на работе, — сказала Валя, держась за щёку. — А мне надо бы полоскание...

— Ох, Валечка! Мне тоже давали полоскание! И мне стало лучше! Как пополощу, так и лучше! А ещё мне помогала грелка горячая-горячая...

Валя оживилась и закивала головой:

— Да-да, грелка... Муся, у нас в кухне стоит чайник...

— Это не он шумит? Нет, это, верно, дождик! — Муся вскочила и подбежала к окну. — Так и есть, дождик! Хорошо, что я в галошах пришла! А то можно простудиться!

Она побежала в переднюю, долго стучала ногами, обувая галоши. Потом, просунув в дверь голову, крикнула:

— Выздоравливай, Валечка! Я ещё приду к тебе! Обязательно приду! Не беспокойся!

Валя вздохнула, потрогала холодную грелку и стала ждать маму.

— Ну что? Что она говорила? Что ей нужно? — спрашивали Мусю девочки.

— Да у неё такой же флюс, как был у меня! — радостно сообщила Муся. — И она ничего не говорила! А помогают ей только грелка и полоскание!

РЕКС И КЕКС

Слава и Витя сидели на одной парте.

Мальчики очень дружили и как могли помогали друг другу. Витя помогал Славе ре-

шать задачи, а Слава следил, чтобы Витя правильно писал слова и не пачкал свои тетради кляксами. Однажды они сильно поспорили.

— У нашего директора есть большая собака, её зовут Рекс, — сказал Витя.

— Не Рекс, а Кекс, — поправил его Слава.

— Нет, Рекс!

— Нет, Кекс!

Мальчики поссорились. Витя ушёл на другую парту. На следующий день Слава не

решил заданную на дом задачу, а Витя подал учителю неряшливую тетрадь. Спустя несколько дней дела пошли ещё хуже: оба мальчика получили по двойке. А потом они узнали, что собаку директора зовут Ральф.

— Значит, нам не из-за чего ссориться! — обрадовался Слава.

— Конечно, не из-за чего, — согласился Витя.

Оба мальчика снова уселись на одну парту.

— Вот тебе и Рекс, вот тебе и Кекс. Противная собака, две двойки мы из-за неё схватили! И подумать только, из-за чего люди ссорятся!..

Михаил Коршунов

КОСЬКИНА ПРИЧЁСКА

Ребята играли втроём — Вася, Коська и соседский мальчик Никита. В пылу игры старший из ребят, Вася, неожиданно вспомнил, что должен отвести Коську в парикмахерскую. Коська сильно зарос. Перед уходом на работу мама строго наказала: если Коська и сегодня останется кудлатым, то ему не позволят носить чёлку и снова остригут наголо.

Ребята заперли на ключ комнату и побежали в детскую парикмахерскую. Она была напротив. В дверях парикмахерской уже висела надпись: «Закрыто».

Вася всё же открыл дверь, и ребята вошли. Высокий сутулый швейцар подметал пол. Вася подошёл поближе и спросил:

— Скажите, можно ещё подстричься?

Швейцар набрал из кружки в рот воду, побрызгал пол и тогда ответил:

— А я думал, ты грамотный.

— Я грамотный, — с обидой ответил Вася.

— А для грамотных на дверях указано, можно ещё стричься или нет. Завтра приходите, завтра!

Опечаленные, ребята вышли на улицу.

— Пойдёмте, — сказал Вася. — Я знаю ещё одну парикмахерскую.

Но эта парикмахерская была не для детей, а для взрослых.

— Ребят обслуживаем только по утрам, — ответили здесь.

— Ну что теперь, Коська, с тобой делать? — вздохнул Вася, когда ребята оказались на улице. — Мама сказала, что больше откладывать не будет, а стричься негде.

Притихшие и грустные возвращались они домой. Неожиданно Никита воскликнул:

— Чур, я придумал! Чур, я!

— Чего ты придумал? — спросил Вася.

— А вот и придумал!

— Ну, чего?

— Сами стричь давайте!

— Сами... — призадумался было Вася. — А правда, давайте!

Дома ребята устроили всё как в настоящей парикмахерской. На стол поставили зеркало, папин прибор для бритья, собрали и разложили все гребешки и ножницы, какие были в доме.

— Ну, садись, — важно сказал наконец Вася, выбирая самый большой гребешок и самые большие ножницы.

Коська уселся на скамейку.

— Не дрыгайся и не ёрзай. — Вася повязал Коське на грудь полотенце.

— А? — сказал Коська и тут же вытянул шею и скорчил в зеркало гримасу.

— Я же сказал тебе — не ёрзай!

— А я и не ёрзаю!

Вася дал гребешок держать Никите — чтобы гребешок был наготове, — а сам взял

в обе руки ножницы, пощёлкал ими в воздухе и, хмурясь, обошёл вокруг Коськи, примеряясь, откуда начать.

Коська снова закрутил головой.

— Ты опять? — строго сказал Вася.

— А чего Никита мне рога подставляет!

— Ладно, сиди! — И Вася, нагнув Коське голову, прицелился и вырезал на затылке первый клок волос. Потом ещё один.

— Ой, больно! — пожаловался Коська. — Ножницы не дёргай!

Вася взглянул на ножницы и ещё пощёлкал ими в воздухе. Потом подул на них.

— Не выдумывай! — И продолжал срезать волосы.

Затылок Коськи покрылся сплошными выстригами. Вася стал подравнивать. Вышло ещё хуже. Вася попробовал причесать, но волосы упрямо ерошились — одни длинные, другие короткие.

Никита ткнул пальцем в Коськину макушку:

— Вася, вот смехота! Завитушка!

Коська спросил:

— Какая завитушка?

— И у тебя такая есть, — сказал Вася Никите.

— Где у него? — И Коська слез со скамейки. Принялись разглядывать Никитину голову. Наконец Коська опять взобрался на табуретку.

— Лучше я сначала тебе спереди подрежу, — сказал Вася.

Пока он резал, Коська, подняв глаза, следил за ножницами.

— Криво, — заметил Никита.

Вася отошёл, поглядел — и верно, немного криво.

— Сейчас подровняю. — Вася чикнул ножницами.

— Опять криво, — сказал Никита.

Чуб у Коськи заметно сократился. Вася подровнял ещё, и снова вышло косо.

— Может, у него голова гнутая? — предположил Никита.

Осмотрели Коськину голову — как будто везде круглая.

— Нужна линейка, — решительно сказал Вася. Принесли линейку и приложили её к Коськиному лбу.

Линейка как следует не прижималась. Никита держал её, а Вася отрезал по линейке ножницами.

— Опять кривулина получилась, — сказал Никита.

— Надо карандаш. — И Вася принёс химический карандаш.

— Мне надоело. Не хочу я больше! — заупрямился Коська.

— Обожди. Уже недолго. — Вася послюнил карандаш и навёл по линейке у Коськи на лбу черту. Отрезал по черте — и... снова перекос.

Коська увидел себя в зеркале и всхлипнул. От чуба остался небольшой клочок.

— Ничего, — утешил брата Вася, — сейчас получится. Ты только не плачь. Сейчас всё получится.

Резанул — и вместо чёлки осталась жалкая кочерыжка волос.

В прихожей зазвенели ключи, скрипнула дверь. Послышались голоса — вначале папин, потом мамин. Никита быстро положил гребешок и сказал:

— Я пошёл домой.

Голоса приближались.

— Что тут такое? — спросила мама, входя в столовую.

Никита зажмурился, как от сильного света, и скороговоркой выпалил:

— Здравствуйте! Мне обедать нужно!

Вася стоял с ножницами и линейкой в руках. Коська — рядом, с полотенцем, обстриженный, с чертой на лбу, готовясь к сильному плачу.

— А может, ты, Никита, с нами отобедаешь? — сказал папа.

Никита ничего не ответил и, осторожно переступая с места на место, подвигался к выходу в коридор.

— Ну, чья работа? — продолжал отец.

— Моя, — понуро ответил Вася. — Ещё не докончил. Подровнять осталось.

— Ну, подровняй, — снова спокойно сказал папа. — Вот и Никита тебе поможет.

Коська заплакал, размазывая по лицу чернильную полосу.

— Пусть таким и ходит, — сказала мама, пытаясь сдержать улыбку. — Пусть все посмотрят, какую ему Вася сделал причёску.

— Эх вы, горе-плотники! — сказал папа.

— А почему плотники? — спросил Вася.

Никита глядел в сторону и молчал.

— А вот жил один человек, и была у него табуретка. Хорошая табуретка, слегка только качалась. И решил этот человек ей сам ножки подровнять. «Эка мудрость! — подумал он. — И без плотника обойдусь». Подпилил он одну ножку — качается табурет. Подпилил другую — не помогло. Укоротил третью — опять качается. И так ровнял ножки этот горе-плотник до тех пор, пока от табуретки не осталась одна доска.

Отец притянул к себе Коськину голову, взял у Васи ножницы и чикнул по последнему кустику волос:

— Поздно, брат, реветь. Поздно.

Виктор Голявкин

КАК Я ПОМОГАЛ МАМЕ МЫТЬ ПОЛ

Я давно собирался пол вымыть. Только мама не разрешала мне. «Не получится, — говорит, — у тебя...»

— Посмотрим, как не получится!

Трах! — опрокинул ведро и пролил всю воду. Но я решил, так даже лучше. Так гораздо удобней мыть пол. Вся вода на полу; тряпкой три — и всё дело. Воды маловато, правда. Комната-то у нас большая. Придётся ещё ведро на пол вылить. Вылил ещё ведро, вот теперь красота! Тру тряпкой, тру — ничего не выходит. Куда же воду девать, чтобы пол был сухой? Без насоса тут ничего не придумать. Велосипедный насос нужно взять. Перекачать воду обратно в ведро.

Но когда спешишь, всё плохо выходит. Воды на полу не убавилось, и в ведре пусто. Наверно, насос испортился.

Придётся теперь с насосом повозиться. Тут мама в комнату входит.

— Что такое, — кричит, — почему вода?

— Не беспокойся, мама, всё будет в порядке. Надо только насос починить.

— Какой насос?

— Чтобы воду качать...

Мама взяла тряпку, смочила в воде, потом выжала тряпку в ведро, потом снова смочила, опять в ведро выжала. И так несколько раз подряд. И воды на полу не стало. Всё оказалось так просто. А мама мне говорит:

— Ничего. Ты мне всё же помог.

КАК Я ВСЕХ ОБМАНУТЬ ХОТЕЛ

Мне про это рассказывать даже не хочется. Но я всё-таки расскажу. Все думали, я и вправду больной, а флюс у меня был ненастоящий. Это я промокашку под щёку подсунул, вот щека и раздулась. И вдобавок гримасу состроил — вот, мол, как зуб у меня болит! И мычу слегка; это я всё нарочно сделал, чтоб урок не спросили. И Анна Петровна поверила мне. И ребята поверили. Все жалели меня, переживали. А я делал вид, что мне очень больно.

Анна Петровна сказала:

— Иди домой. Раз у тебя так зуб болит.

Но мне домой совсем не хотелось. Языком промокашку во рту катаю и думаю: «Здорово обманул я всех!»

Вдруг Танька Ведёркина как заорёт:

— Ой, смотрите, флюс у него на другой стороне!

БОЛЬНЫЕ

— У тебя правда нога болит?

— Никакая нога у меня не болит! А у тебя в животе правда колет?

— Ничего у меня в животе не колет. Ловко мы с тобой в классе остались!

— Ребята сейчас там на физкультуре прыгают, а мы с тобой сидим — красота!

— Эх, хорошо просто так сидеть!.. Давай через парту прыгать!

В ШКАФУ

Перед уроком я в шкаф залез. Я хотел мяукнуть из шкафа.

Подумают, кошка, а это я.

Сидел в шкафу, ждал начала урока и не заметил, как уснул. Просыпаюсь — в классе тихо. Смотрю в щёлочку — никого нет. Толкнул дверь, а она закрыта. Значит, я весь урок проспал. Все домой ушли, и меня в шкафу заперли.

Душно в шкафу и темно, как ночью. Мне стало страшно, я стал кричать:

— Э-э-э! Я в шкафу! Помогите!

Прислушался — тишина кругом.

Я опять:

— О! Товарищи! Я в шкафу сижу!

Слышу чьи-то шаги. Идёт кто-то.

— Кто здесь горланит?

Я сразу узнал тётю Нюшу, уборщицу. Я обрадовался, кричу:

— Тётя Нюша, я здесь!

— Где ты, родименький?

— В шкафу я! В шкафу!

— Как же ты, милый, туда забрался?

— Я в шкафу, бабуся!

— Так уж слышу, что ты в шкафу. Так чего ты хочешь?

— Меня заперли в шкаф. Ой, бабуся!

Ушла тётя Нюша. Опять тишина. Наверное, за ключом ушла.

Опять шаги. Слышу голос Пал Палыча. Пал Палыч — наш завуч...

Пал Палыч постучал в шкаф пальцем.

— Там нет никого, — сказал Пал Палыч.

— Как же нет. Есть, — сказала тётя Нюша.

— Ну где же он? — сказал Пал Палыч и постучал ещё раз по шкафу.

Я испугался, что все уйдут, я останусь в шкафу, и изо всех сил крикнул:

— Я здесь!

— Кто ты? — спросил Пал Палыч.

— Я... Цыпкин...

— Зачем ты туда забрался, Цыпкин?

— Меня заперли... Я не забрался...

— Гм... Его заперли! А он не забрался! Видали? Какие волшебники в нашей школе! Они не забираются в шкаф, в то время как их запирают в шкафу. Чудес не бывает, слышишь, Цыпкин?

— Слышу...

— Ты давно там сидишь? — спросил Пал Палыч.

— Не знаю...

— Найдите ключ, — сказал Пал Палыч. — Быстро.

Тётя Нюша пошла за ключом, а Пал Палыч остался. Он сел рядом на стул и стал ждать. Я видел сквозь щёлку его лицо. Он был очень сердитый. Он закурил и сказал:

— Ну! Вот до чего доводит шалость! Ты мне честно скажи: почему ты в шкафу?

Мне очень хотелось исчезнуть из шкафа. Откроют шкаф, а меня там нет. Как будто бы я там и не был. Меня спросят: «Ты был в шкафу?» Я скажу: «Не был». Мне скажут: «А кто там был?» Я скажу: «Не знаю».

Но ведь так только в сказках бывает! Наверняка завтра маму вызовут... Ваш сын, скажут, в шкаф залез, все уроки там спал, и всё такое... Как будто мне тут удобно спать! Ноги ломит, спина болит. Одно мучение! Что было мне отвечать?

Я молчал.

— Ты живой там? — спросил Пал Палыч.

— Живой...

— Ну сиди, скоро откроют...

— Я сижу...

— Так... — сказал Пал Палыч. — Так ты ответишь мне, почему ты залез в этот шкаф?

Я молчал.

Вдруг я услышал голос директора. Он шёл по коридору:

— Кто? Цыпкин? В шкафу? Почему?

Мне опять захотелось исчезнуть.

Директор спросил:

— Цыпкин, ты?

Я тяжело вздохнул. Я просто уже не мог отвечать.

Тётя Нюша сказала:

— Ключ унёс староста класса.

— Взломайте дверь, — сказал директор.

Я почувствовал, как ломают дверь: шкаф затрясся, я стукнулся больно лбом. Я боялся, что шкаф упадёт, и заплакал. Руками упёрся в стенки шкафа, и, когда дверь поддалась и открылась, я продолжал точно так же стоять.

— Ну, Цыпкин, выходи, — сказал директор. — И объясни нам, что это значит.

Я не мог двинуться с места. Мне было страшно.

— Почему он стоит? — спросил директор.

Меня вытащили из шкафа.

Я всё время молчал. Я не знал, что сказать.

Я хотел ведь только мяукнуть. Но как я сказал бы об этом...

Леонид Каминский

ЧЕГО ТОЛЬКО НЕ СЛУЧИЛОСЬ

— Людмила Аркадьевна, можно войти?

— Входи, входи, Серёжкин!

— Людмила Аркадьевна, я опоздал!

— Об этом я уже догадалась. Во-первых, здравствуй!

— Здрасте.

— Во-вторых, объясни-ка нам, что случилось?

— Ой, чего только не случилось!

— А конкретнее?

— Сначала испортились часы.

— Остановились, что ли?

— Нет, просто часовая стрелка стала двигаться против часовой стрелки. А минутная — против минутной. И я не знал, который час.

— Но всё же узнал?

— Узнал.

— Каким образом?

— Очень просто: набрал я по телефону «точное время», а там говорят: «Уже полдевятого!» Я говорю: «Правда?» А они отвечают: «Ага!»

— Ну и что же дальше?

— Я понял, что опаздываю, быстро оделся и выскочил за дверь. Смотрю: маляры на лестнице работают. Они всю лестницу выкрасили зелёной краской. И табличку повесили: «Проход временно закрыт». Это значит, пока не высохнет. Что делать? Пришлось спускаться по водосточной трубе, через окно.

Я быстро спустился, выбежал на улицу, смотрю: что такое? На ту сторону никак не перейти, всю улицу перекрыли.

— Да, не везёт тебе! Неужели улицу тоже выкрасили зелёной краской?

— Нет, что вы! Просто оказалось, что по проезжей части вели жирафу, поэтому всё движение остановилось.

— Куда же вели эту жирафу?

— Не знаю. Наверное, в зоопарк. Или в цирк. В общем, пришлось ждать. Ну, а потом я пошёл в школу, потому что больше ничего не случилось.

— Всё?

— Всё.

— Так. Очень удивительная история. А теперь сознайся, Серёжкин: есть ли хоть два слова правды из того, что ты нам сейчас рассказал?

— Два слова есть...

— Какие же это слова?

— «Я опоздал...»

Ирина Пивоварова

КАК МЕНЯ УЧИЛИ МУЗЫКЕ

Однажды мама пришла из гостей взволнованная. Она рассказала нам с папой, что дочка её подруги весь вечер играла на пианино. Замечательно играла! И польку играла, и песни со словами и без слов, и даже полонез Огинского.

— А полонез Огинского — это моя любимая вещь! — сказала мама. — И теперь я мечтаю, чтобы наша Люська тоже играла полонез Огинского!

У меня похолодело внутри. Я совсем не мечтала играть полонез Огинского! Я о многом мечтала. Я мечтала никогда в жизни не делать уроков. Я мечтала научиться петь все песни на свете. Я мечтала целыми днями есть мороженое. Я мечтала лучше всех рисовать и стать художником. Я мечтала быть красивой.

Я мечтала, чтобы у нас было пианино, как у Люськи. Но я совсем не мечтала на нём играть. Ну, ещё на гитаре или на балалайке — туда-сюда, но только не на пианино.

Но я знала, что маму не переспоришь.

Мама привела к нам какую-то старушку. Это оказалась учительница музыки. Она велела мне что-нибудь спеть. Я спела «Ах вы, сени, мои сени». Старушка сказала, что у меня исключительный слух.

Так начались мои мучения.

Только я выйду во двор, только мы начнём играть в лапту или в «штандр», как меня зовут: «Люся! Домой!» И я с нотной папкой тащусь к Марии Карловне. Она учила меня играть «Как на тоненький ледок выпал беленький снежок».

Дома я занималась у соседки. Соседка была добрая. У неё был рояль. Когда я первый раз села за рояль разучивать «Как на тоненький ледок...», соседка села на стул и целый час слушала, как я разучиваю. Она сказала, что очень любит музыку.

В следующий раз она уже не сидела рядом на стуле, а то входила в комнату, то выходила. Ну, а потом, когда я приходила, она сразу брала сумку и уходила на рынок или в магазин.

А потом мне купили пианино. Однажды к нам пришли гости. Мы пили чай. И вдруг мама сказала:

— А сейчас нам Люсенька сыграет на пианино.

Я поперхнулась чаем.

— Я ещё не научилась, — сказала я.

— Не хитри, Люська, — сказала мама. — Ты уже целых три месяца учишься.

И все гости стали просить — сыграй да сыграй. Что было делать?

Я вылезла из-за стола и села за пианино. Я развернула ноты и стала играть «Как на тоненький ледок выпал беленький снежок». Я эту вещь играла очень долго. Я всё время забывала, где находятся ноты фа и ре, и везде их искала, и тыкала пальцем во все остальные ноты. Когда я кончила играть, дядя Миша сказал:

— Молодец! Прямо Бетховен! — и захлопал в ладоши.

Я обрадовалась и говорю:

— А я ещё умею играть «На дороге жук, жук».

— Ну ладно, иди пить чай, — быстро сказала мама. Она была вся красная и сердитая.

А папа, наоборот, развеселился.

— Вот видишь? — сказал он маме. — Я же тебе говорил! А ты — полонез Огинского...

Больше меня к Марии Карловне не водили.

Сергей Махотин

ВИРУС ВОРЧАНИЯ

Как-то раз Игорёк проснулся с плохим настроением. Носки надевает и ворчит:

— Глупые носки! Не поймёшь, какой левый, какой правый...

Майку туда-сюда крутит и бормочет:

— Плохая майка! Не поймёшь, где зад, где перед...

В штаны влезает и возмущается:

— Дурацкие штаны! Одна штанина нормальная, другая наизнанку...

Сели завтракать. Игорёк опять бубнит:

— Каша несладкая. Булка жёсткая. Чай горячий.

— Что это с тобой сегодня, — удивляется мама. Лоб ему потрогала. Температуры вроде нет. — Может, дома сегодня посидишь, книжку почитаешь?

А Игорёк всё упрямится:

— Скучная книжка! Не буду её читать.

Встал из-за стола и даже спасибо не сказал. Гулять пошёл. Во дворе Миша своего щенка дрессирует. Палку кидает и командует:

— Тузик, принеси!

А Тузик сидит, на Мишу смотрит и хвостиком виляет.

— Какая глупая собака, — говорит Игорёк.

— Сам ты глупый, — обиделся Миша. Накинул на Тузика ошейник и увёл его на пустырь.

На пустыре за домом Вовка Семёнов дымовушку из расчёски делал. Разломал расчёску, в фольгу её завернул, спичку зажигает, а она не загорается.

Мишу увидел и спрашивает:

— Мишка, у тебя расчёски с собой нет? Моя какая-то негорючая.

— Вот ещё! — говорит Миша. — Стану я свою расчёску жечь! Вот скажу твоему отцу, чем ты тут занимаешься...

— У, ябеда, — надулся Вовка. — Дать бы тебе по шее, да связываться неохота с малолеткой.

Пошёл Вовка домой. У подъезда с Галей столкнулся.

— Вовка! — удивилась Галя. — Ты чего надутый такой?

— И ничего я не надутый, — огрызнулся Вовка. — Ходишь тут, глупые вопросы задаёшь. Тебе что, делать нечего?..

Огорчилась Галя, и расхотелось ей через скакалку прыгать.

В тот день до самого вечера тихо было во дворе. А вечером собрались мамы на скамейке, все встревоженные. Ума не приложат, что это с их детьми случилось, отчего они весь день такие кислые?

Повздыхали, всплакнули даже и пошли ребят спать укладывать. Утро, думают, вечера мудренее.

А наутро мамы сами проснулись ворчливыми. И то им не так, и это. И погода пасмурная, и дети их не любят, и мужья не ценят.

А папы тоже недовольны: и жёны их не любят, и дети непослушные, и зарплата маленькая.

Поворчав, разошлись жители дома по своим делам. Кто в школу, кто на работу, кто в магазин.

И странные дела начали твориться в городе.

Ученики на уроках учителей не слушают, обижаются, что много на дом задают, что контрольными их совсем замучили. Учителя

тоже жалуются: вот раньше были ученики — не нарадуешься, а эти ничем не интересуются, кроме телевизора.

В магазинах очереди растут. Покупатели продавцами возмущаются. А продавцы чай в кладовках распивают и сетуют, какой нынче покупатель пошёл назойливый.

Вечером включили горожане свои телевизоры, чтобы городские новости узнать. Появился на экране популярный диктор, обычно бодрый, подтянутый, а тут небритый, унылый какой-то или, как в народе говорят, квёлый. Обращается диктор к телезрителям:

— Ну, что вам сказать... Хороших новостей сегодня нет, а о плохих и говорить не хочется. Выключайте-ка лучше телевизоры да ложитесь, мой вам совет, спать. А то сейчас вам художественный фильм будут показывать, такой скучный, что всё равно заснёте...

На следующий день в газете «Вечерние новости» появилось сообщение о неизвестной болезни. Её симптомы: не прекращающиеся у больных ворчливость и занудство. Населению необходимо соблюдать спокойствие и порядок. В город уже вылетела авторитетная комиссия врачей, возглавляемая известным профессором Соломкиным.

— Подумаешь, Соломкин! Профессор кислых щей! — прочтя газету, заворчала половина города.

— Знаем мы этих врачей! От насморка вылечить не могут, — занудила вторая половина.

Профессор Соломкин действительно оказался бессилен перед неизвестной эпидемией. Он посоветовал горожанам делать по утрам зарядку и написал для научного журнала статью под названием «Вирус ворчания». В статье отмечалось, что в природе скрыто ещё немало загадок и тайн, но все они со временем будут разгаданы пытливым человеческим разумом.

В то самое время, когда профессор дописывал свою статью, из очередной экспедиции на Северный полюс вернулся полярник Кузнецов.

Галю с мамой застал полярник грустными. В квартире царил беспорядок, молоко скисло, а картошка пережарилась.

— Так! — сказал Кузнецов. — А ну-ка, Галя, вспомни, с чего началась вся эта катавасия?

— С того, — вспомнила Галя, — что Вовка мне ни с того ни с сего нагрубил.

— Так, интересно... — произнёс Кузнецов и поднялся на пятый этаж в квартиру Семёновых.

Вовка напрягся и вспомнил, что он в тот день делал дымовушку из расчёски, а Миша пригрозил на него наябедничать. Семёнов-старший, похлопав себя по карманам, своей расчёски действительно не обнаружил и влепил Вовке подзатыльник.

А полярник Кузнецов спустился на третий этаж, откуда доносилось тявканье Тузика. Миша признался, что его в тот день Игорёк расстроил, Тузика глупой собакой обозвал.

Игорёк жил на первом этаже. Он сидел за столом и завтракал. Вернее, не завтракал, а ворчал:

— Опять каша несладкая... Опять булка чёрствая... Опять чай горячий...

— Ну-ка, дай попробовать, — сказал Кузнецов.

Съел он полную тарелку рисовой каши и добавки попросил. Ест и нахваливает:

— Твою бы маму поварихой к нам на полярную станцию. Цены бы ей не было!

Улыбнулась мама. Приятно ей слышать про себя такие слова. А Кузнецов булку маслом намазал и чай прихлёбывает.

— Хороший чай. По вкусу чувствую: краснодарский, байховый, высший сорт. Мы на полюсе напьёмся чаю горяченького, и мороз кажется уже не таким злым.

Вслед за Кузнецовым и Игорёк свой завтрак за обе щеки уплёл.

— Молодец! — одобрил Кузнецов. — Одного я только не пойму. Почему ты до сих пор босиком ходишь?

Игорёк надулся:

— Глупые носки! Не поймёшь, какой левый, какой правый...

— Ну-ка, подать их сюда!

Взял Кузнецов в каждую руку по носку, а они у него на пальцах вдруг ожили, закривлялись, заспорили: «Я левый! Нет, я левый! Я правый! Нет, я правый!»

— Отставить разговорчики! — командует Кузнецов. — На левый-правый расчитайсь!

— Левый! — крикнул один носок.

— Правый! — крикнул другой.

Засмеялся Игорёк, и прошло у него плохое настроение. Вышел из дома во двор. Мишу спрашивает:

— Можно мне Тузика погладить?

Миша взглянул недоверчиво, но разрешил. Гладит Игорёк Тузика и приговаривает:

— Хороший Тузик, умная собака.

Рад Миша, что его Тузика похвалили. Увидел Вовку Семёнова и предлагает:

— На, Вовка, мою расчёску, если уж так она тебе нужна.

— Нет, Мишка, — тот отвечает. — Расчёски все теперь из негорючей пластмассы делают. Мне теперь только фотоплёнка нужна. Из неё должна хорошая дымовушка получиться.

Вышла к ребятам Галя со скакалкой. Вовка к ней подошёл:

— Ты извини, что я тебе тогда нагрубил. Сам не знаю, что на меня нашло.

Галя улыбнулась и опять стала весёлая.

А назавтра эпидемия неизвестной болезни прекратилась в городе сама собой. Перестали люди нудить и ворчать. Справедливости ради следует сказать, что в городе несколько ворчунов всё-таки осталось. Такой уж был у них неисправимый характер. Но вирус ворчания от них никому уже не передавался.

Марина Дружинина

САМАЯ ВЕРНАЯ ПРИМЕТА

Антошка с мамой сидели на брёвнышке у самого озера и смотрели на закат. Солнце медленно опускалось за кружевной лес на дальнем берегу.

— Интересно, какая завтра погода будет? — задумчиво спросила мама. — Неужели опять целый день дождь?

— Сейчас узнаем! — Антошка слазил в палатку за «Справочником туриста» и снова уселся на бревно. — Так, смотрим — к хорошей погоде... «Вечером звонко и часто поёт зяблик». Нет, что-то не слыхать...

— А к плохой погоде что делает зяблик? — заглянула мама в справочник. — Ага, «зяблики скрипят». Стоп! Кто-то скрипит! Уж не зяблик ли?

— Какой там зяблик! — раздался голос из кустов. — Это я здесь байдарку ремонтирую!

— Хорошо, папа, что это ты, а не зяблик! — обрадовался Антон. — Смотрим следующую примету к хорошей погоде — «пауки плетут паутину». Ура! Вон сколько паутинок всюду!

— Это, конечно, радует, — улыбнулась мама. — Только вон смотри — рыбка выпрыгнула из воды за мошкой. А это — читай внимательно! — к плохой погоде.

— Ну подумаешь — одна какая-то ненормальная рыбка выпрыгнула. Остальные же не выпрыгивают! Зато туман стелется к хорошей погоде!

— А дым от костра на землю ложится. К плохой!

— Да, нам здесь явно не хватает животных... — вздохнул Антон. — Чтобы точно определять погоду, нужно было взять в поход кур, лошадей... Видишь, «к плохой погоде куры в пыли валяются, скот жадно ест траву, лошади фыркают и храпят». А у нас только папа похрапывает, когда спит. Причём в любую погоду. Разве тут что-нибудь поймёшь?

Антон было загрустил и начал бросать камешки в воду.

— Интересно, а если одна курица валяется в пыли, а другая ведёт себя прилично? Одна лошадь фыркает, а другая и в ус

не дует? — Мама тоже подбросила камешек. — Как тогда определить погоду?

— Или, к примеру, лягушки! — подхватил Антон. — Здесь написано, что к плохой погоде они вылезают из болота и хрипло квакают. А если это делают не все, а только самые простуженные? Остальные же сидят себе в болоте и квакают звонко.

— Да, разве тут разберёшься, — подал голос папа. — Голова кругом идёт. Сам, пожалуй, заквакаешь.

— И вообще, если сразу все приметы и к хорошей, и к плохой погоде — что тогда произойдёт? — спросила мама.

— Наверное, конец света.

Папа залез в палатку и быстренько захрапел, не дожидаясь конца света.

Мама с Антошкой тоже устроились на ночь в спальниках. И тут по брезенту забарабанил дождь.

— Ничего, — успокоил Антон. — За ночь весь выльется. Погода распогодится!

— Спи, сынок, — сказала мама. — Под шум дождя лучше всего спится.

Рано утром Антон проснулся. На улице моросил дождь, по низкому небу спешили тучи, дул холодный ветер, и мокла в кустах починенная папой байдарка. Но в палатке было тепло и уютно. Мирно похрапывал, как всегда, папа, чему-то улыбалась во сне мама.

И тогда Антон придумал новую, самую верную, настоящую народную примету: «Если рядом папа с мамой, любая погода хороша!!

ПРЫЖОК ФИГУРИСТКИ

Мы смотрели по телевизору фигурное катание. Фигуристы, как обычно, прыгали, кружились и делали «ласточку» под весёлую или, наоборот, грустную музыку.

Знаменитый тренер Борис Буханкин комментировал выступления.

Вдруг что-то щёлкнуло, и наступила полная тишина. То есть фигуристы всё так же подпрыгивали и кружились, но уже без всякой музыки. Да и Буханкина, хоть он и шевелил энергично губами и размахивал

руками — его как раз показали крупным планом, — совершенно не было слышно. Короче говоря, пропал звук.

Мы стали нажимать на разные кнопочки и постукивать по телевизору — ничего не помогает.

— Ну и ладно! — сказал папа. — Будем смотреть без музыки. А комментировать и я смогу не хуже Буханкина.

— Давай! — согласились мы.

— На льду олимпийская чемпионка Карина Крутилина! — объявил папа. — Она в отличной спортивной форме после рождения пятого ребёнка! Браво, Карина! Блестяще выполнила сложнейший прыжок — тройной шницель!

— Какой ещё шницель! — дружно захохотали мы. — Нет такого прыжка! Шницель ты на обед ел!

— Действительно, — вспомнил папа. — Было очень вкусно. Тогда это тройной штепсель! Или вентиль! Или что-то в этом духе.

— Может, вексель? — предположил дядя Вася.

— При чём тут вексель? Это же каток, а не твой финансовый институт! — возразил дедушка. — Здесь уж скорее будет вензель! Или крендель! Вот с тулупом не запутаешься: у фигуристов тулуп и у меня тулуп. Только у них бывает двойной и тройной, а у меня лишь одинарный. Зато тёплы-ы-ый!

Тем временем Карина Крутилина снова взвилась надо льдом. Потом ещё и ещё раз!

— Лихо скачет, — заметила мама. — Оп! Оп! Я бы назвала такой прыжок опсель.

— Или скоксель! — подхватил я и подпрыгнул в знак солидарности с фигуристкой.

Тут в комнату вбежал мой младший брат Кирюшка и закричал:

— Аксель! Аксель!

В этот момент врубился звук, и тренер Буханкин тоже закричал:

— Великолепный аксель от Карины Крутилиной!

— Правильно! Это аксель! Ну и Кирюшка! Прямо специалист по фигурному катанию! — восхитились мы.

А Кирюшка, не обращая внимания на наши восторги, запел, приплясывая:

Аксель-Аксель-Аксельков
Съел пятнадцать индюков!
С места сдвинуться не смог —
Прогулял опять урок!

Здоровскую частушку я про Женьку Аксилькова сочинил? А то он всё время дразнит меня:

Лютик-Лютик-Лютиков
Свил гнездо из прутиков!

— Здорово! — засмеялись мы и стали дальше смотреть фигурное катание.

ЗВОНИТЕ, ВАМ СПОЮТ!

В воскресенье мы пили чай с вареньем и слушали радио. Как всегда, в это время радиослушатели в прямом эфире поздравляли своих друзей, родственников, начальников с днём рождения, днём свадьбы или ещё с чем-нибудь знаменательным; рассказывали, какие они расчудесные, и просили исполнить для этих прекрасных людей хорошие песни.

«Ещё один звонок! — в очередной раз ликующе провозгласил диктор. — Алло! Мы слушаем вас! Кого будем поздравлять?»

И тут... Я ушам своим не поверил! Раздался голос моего одноклассника Владьки:

«Это говорит Владислав Николаевич Гусев. Поздравляю Владимира Петровича Ручкина, ученика четвёртого класса „Б“! Он получил пятёрку по математике! Первую в этой четверти! И вообще первую! Передайте для него лучшую песню!»

«Замечательное поздравление! — восхитился диктор. — Мы присоединяемся к этим тёплым словам и желаем уважаемому Владимиру Петровичу, чтобы упомянутая пятёрка была не последней в его жизни! А сейчас — „Дважды два — четыре“!»

Заиграла музыка, а я чуть чаем не поперхнулся. Шутка ли — в честь меня песню поют! Ведь Ручкин — это я! Да ещё и Владимир! Да ещё и Петрович! И вообще,

в четвёртом «Б» учусь! Всё совпадает! Всё, кроме пятёрки. Никаких пятёрок я не получал. Никогда. А в дневнике у меня красовалось нечто прямо противоположное.

— Вовка! Неужели это ты пятёрку получил?! — Мама выскочила из-за стола и бросилась меня обнимать-целовать. — Наконец-то! Я так мечтала об этом! Что же ты молчал? Скромный какой! А Владик-то — настоящий друг! Как он за тебя радуется! Даже по радио поздравил! Пятёрочку надо отпраздновать. Я сейчас испеку что-нибудь вкусненькое!

Мама тут же замесила тесто и начала лепить пирожки, весело напевая: «Дважды два — четыре, дважды два — четыре...»

Я хотел крикнуть, что Владик не друг, а гад! Всё врёт! Никакой пятёрки не было! Но язык совершенно не поворачивался. Как я ни старался. Уж очень мама обрадовалась. Никогда не думал, что мамина радость так действует на мой язык!

— Молодец, сынок! — замахал газетой папа. — Покажи пятёрочку!

— У нас дневники на проверку собрали, — соврал я. — Может, завтра раздадут или послезавтра...

— Ну ладно! Когда раздадут, тогда и полюбуемся! И пойдём в цирк! А сейчас я сбегаю за мороженым для всех нас!

Папа умчался как вихрь, а я кинулся в комнату, к телефону. Трубку снял Владик.

— Привет! — хихикает. — Радио слушал?

— Ты что, совсем очумел?! — зашипел я. — Родители тут голову потеряли из-за твоих дурацких шуток! А мне расхлёбывать! Где я им пятёрку возьму?

— Как это — где? — серьёзно ответил Владик. — Завтра в школе. Приходи ко мне прямо сейчас уроки делать.

Скрипя зубами, я отправился к Владику. А что мне ещё оставалось?..

В общем, целых два часа мы решали примеры, задачи... И всё это вместо моего любимого триллера «Арбузы-людоеды»! Кошмар! Ну, Владька, погоди!

На следующий день на уроке математики Алевтина Васильевна спросила:

— Кто хочет разобрать домашнее задание у доски?

Владик ткнул меня в бок. Я ойкнул и поднял руку. Первый раз в жизни.

— Ручкин?! — удивилась Алевтина Васильевна. — Что ж, милости просим!

А потом... Потом случилось чудо. Я всё решил и объяснил правильно. И в моём дневнике заалела гордая пятёрка! Честное слово, я даже не представлял, что получать пятёрки так приятно! Кто не верит, пусть попробует...

В воскресенье мы, как всегда, пили чай и слушали передачу «Звоните, вам споют». Вдруг наш радиоприёмник опять затараторил Владькиным голосом:

«Поздравляю Владимира Петровича Ручкина из четвёртого „Б“ с пятёркой по русскому языку! Прошу передать для него лучшую песню!»

Чего-о-о-о?! Только русского языка мне ещё не хватало! Я вздрогнул и с отчаянной надеждой посмотрел на маму — может, не расслышала. Но её глаза сияли.

— Какой же ты у меня умница! — счастливо улыбаясь, воскликнула мама.

СОДЕРЖАНИЕ

УДК 821.161.1
ББК 84(2Рос=Рус)6-44
С17

Серия «Библиотека начальной школы»
Литературно-художественное издание
Для младшего школьного возраста

Коллектив авторов

САМЫЕ СМЕШНЫЕ ИСТОРИИ

Рассказы

Художник С. Сачков

Редактор *Г. Губанова*
Корректор *О. Коняева*
Компьютерная верстка *А. Дорохина*

Общероссийский классификатор продукции
ОК-005-93, том 2; 953000-книги, брошюры
Подписано в печать 26.05.2015 г. Формат 60x90 1/16.
Усл. печ. л. 5,0. Доп. тираж 7000 экз. Заказ Н-490.

ООО Издательство «Родничок»
300036, г. Тула, Одоевское шоссе, 69
ООО «Издательство АСТ»
129085, РФ, г. Москва, Звездный бульвар, д. 21, стр. 3, ком. 5

Отпечатано в ПИК «Идел-Пресс», филиал АО «ТАТМЕДИА». 420066, г. Казань, ул. Декабристов, 2
e-mail: id-press@yandex.ru

«Баспа Аста» деген ООО
129085 г. Мәскеу, жұлдызды гүлзар, д. 21, 3 құрылым, 5 бөлме
Біздің электрондық мекенжайымыз: www.ast.ru, E - mail: astpub@aha.ru

Қазақстан Республикасында дистрибьютор және өнім бойынша арыз-талаптарды
қабылдаушының өкілі «РДЦ-Алматы» ЖШС,
Алматы қ., Домбровский көш., 3«а», литер Б, офис 1.
Тел.: 8(727) 2 51 59 89,90,91,92, факс: 8 (727) 251 58 12 вн. 107;
E-mail: RDC-Almaty@eksmo.kz
Өнімнің жарамдылық мерзімі шектелмеген.»

С17 **Самые смешные истории** / В. Драгунский, Л. Каминский, В. Осеева и др. – Москва : Издательсво АСТ, 2015. – 77[3] с. : ил. – (Библиотека начальной школы).
ISBN 978-5-17-088196-3.

В сборник «Самые смешные истории» вошли рассказы и про школу, и про детские проказы, и про сложные взаимоотношения с родителями, одноклассниками и учителями. В каждом рассказе – смешная история, героями которой могли бы быть и родители, а может быть, даже бабушки и дедушки современных школьников. Потому что рассказы были написаны в самые разные времена: и в середине XX века, и в начале XXI века. Авторы рассказов – известные писатели: В. Драгунский, Л. Пантелеев, В. Осеева, Л. Каминский, И. Пивоварова и М. Дружинина.

Для младшего школьного возраста.

УДК 821.161.1
ББК 84(2Рос=Рус)6-44

ISBN 978-5-89624-599-5 (ООО Издательсво «Родничок»)
ISBN 978-5-17-088196-3 (ООО «Издательсво АСТ»)